Ardillas
Julie Murray

abdopublishing.com

Published by Abdo Kids, a division of ABDO, PO Box 398166, Minneapolis, Minnesota 55439. Copyright © 2017 by Abdo Consulting Group, Inc. International copyrights reserved in all countries. No part of this book may be reproduced in any form without written permission from the publisher.

Printed in the United States of America, North Mankato, Minnesota.

102016
012017

THIS BOOK CONTAINS RECYCLED MATERIALS

Spanish Translator: Maria Puchol

Photo Credits: iStock, Shutterstock

Production Contributors: Teddy Borth, Jennie Forsberg, Grace Hansen

Design Contributors: Candice Keimig, Dorothy Toth

Publisher's Cataloging-in-Publication Data

Names: Murray, Julie, author.

Title: Ardillas / by Julie Murray.

Other titles: Squirrels. Spanish

Description: Minneapolis, MN : Abdo Kids, 2017. | Series: Animales comunes | Includes bibliographical references and index.

Identifiers: LCCN 2016947310 | ISBN 9781624026065 (lib. bdg.) | ISBN 9781624028304 (ebook)

Subjects: LCSH: Squirrels--Juvenile literature. | Spanish language materials--Juvenile literature.

Classification: DDC 599.36--dc23

LC record available at http://lccn.loc.gov/2016947310

Contenido

Ardillas 4

Características
de las ardillas 22

Glosario 23

Índice 24

Código Abdo Kids . . .24

Ardillas

Chad ve una ardilla. La ardilla está en su jardín.

Algunas ardillas viven en los árboles. Otras viven **bajo tierra**.

Muchas son de color rojo o gris. Otras son negras, blancas o de color café.

Tienen los ojos grandes. Tienen las orejas **paradas**.

Las ardillas trepan a los árboles con sus afiladas garras.

Tienen los dientes afilados también. Los usan para poder comer frutos secos.

Muchas tienen la cola larga y peluda. Les ayuda a mantener el **equilibrio**.

Pueden correr rápido. ¡Pueden saltar lejos también!

¿Has visto alguna vez
una ardilla?

Características de las ardillas

cola

patas y garras

ojos y orejas

pelaje

Glosario

equilibrio
balancear el peso para no caerse.

bajo tierra
por debajo de la tierra.

parado
elevado, de pie.

Índice

árbol 6, 12

bajo tierra 6

cola 16

color 8

correr 18

dientes 14

frutos secos 14

garras 12

ojos 10

orejas 10

saltar 18

abdokids.com

¡Usa este código para entrar en abdokids.com y tener acceso a juegos, arte, videos y mucho más!

Código Abdo Kids:
ESK1194

```
+SP
599.36 M

Murray, Julie, 1969-
Ardillas /
Floating Collection WLNF
05/17
```

Friends of the Houston Public Library